CUBE 3000 New Edition Plus
学習ノート Unit 1

JN113519

　本書は「キューブ3000　英単語・熟語　New Edition Plus」を効率よく学習するために作られた学習ノートです。「キューブ3000」に完全準拠しています。学習ノートは Unit 1 から Unit 3 の 3 冊で構成されており，それぞれが「キューブ3000」の Unit 1 から Unit 3 に対応しています。

　見出し語を合計 4 回，ミニマルフレーズを 2 回（1 回は空所補充）繰り返し書くことで，無理なく単語力を定着させることができます。空所の多い例文を書いて完成することで，英作文の力にもつながります。

　このノートで，英語力の土台となる語彙力を身につけてください。

使い方
1　見出し語を 2 回書きます。（左ページ）
2　（　）に単語を書いてミニマル・フレーズを完成します。（左ページ）
3　日本語訳を参考に，（　）に単語を書いて例文を完成します。（右ページ）
4　CD で音声を聞き，音読します。CD の音声にかぶせて読む練習をすると力がつきます。

❖音声ダウンロード
　見出し語・ミニマルフレーズ・例文の間にポーズが入った音声は，弊社ホームページより無料ダウンロードが可能です。音声の後に続いてくり返し音読する練習ができます。
　http://www.biseisha.co.jp（パスワード：8285）

Unit 1 も　く　じ

※本書に解答書はありません。

1

📖 英語を書いて覚えましょう。そのあと，音声を聞いて音読しましょう。

単語を２回書きましょう	ミニマル・フレーズを完成しましょう

570 address
住所，公式の演説
_____ _____
change one's （　　　　　　　）
〜の住所を変える

571 adventure
冒険
_____ _____
look for （　　　　　　　）
冒険を捜し求める

572 arrange
配置する
_____ _____
（　　　　　　　） flowers
花を生ける

573 case
場合，事実
_____ _____
be the （　　　　　　　） with 〜
〜には事実だ

574 choice
選択
_____ _____
make a wise （　　　　　　　）
賢い選択をする

575 fence
フェンス
_____ _____
a stone （　　　　　　　）
石垣

576 heavy
重い，大量の
_____ _____
a （　　　　　　　） rain
大雨

577 free
自由な，暇な，無料の
_____ _____
be （　　　　　　　） this evening
今夜は暇です

578 fun
面白さ
_____ _____
It's （　　　　　　　） to *do*
〜するのは面白い

579 funny
こっけいな
_____ _____
a （　　　　　　　） story
こっけいな話

580 hard
一生懸命に，堅い
_____ _____
work （　　　　　　　）
一生懸命に働く

581 flash
ぴかっと光る
_____ _____
（　　　　　　　） on and off
点いたり消えたりする

582 imitate
まねる
_____ _____
（　　　　　　　） one's teacher
〜の先生のまねをする

例文の日本語訳	例文を完成しましょう

570 彼は何度も住所を変えた.　He (　　　　　　) his (　　　　　　) many times.

571 子供は冒険を捜し求める.　Children (　　　　　) (　　　) (　　　　　).

572 彼女は花を生けた.　She (　　　　　) (　　　　　).

573 彼にはいつもそれが事実だ.（→彼はいつもそうだ.）　That's always (　　　) (　　　　　) (　　　　　) him.

574 君は賢い選択をしましたね.　You've (　　　　) a (　　　　) (　　　　).

575 彼らは石垣を築いた.　They built a (　　　　) (　　　　).

576 先週は大雨が降った.　We had a (　　　　) (　　　　) last week.

577 私は今夜は暇です.　I (　　) (　　　　) this (　　　　).

578 野球をするのは面白い.　It's (　　　　) (　　) (　　　　) baseball.

579 父は私たちにこっけいな話をしてくれた.　Father told us a (　　　　) (　　　　).

580 彼は家族を養うために一生懸命に働いた.　He (　　　　) (　　　　) to support his family.

581 赤い光が点いたり消えたりした.　The red light (　　　　) (　　) (　　) (　　　).

582 その生徒は先生のまねをした.　The student (　　　　) his (　　　　).

英語を書いて覚えましょう。そのあと，音声を聞いて音読しましょう。

単語を2回書きましょう	ミニマル・フレーズを完成しましょう

583 irregular
不規則な

at （　　　　　） intervals
不規則な間隔で

584 knock
ノックする

（　　　　　） at [on] the door
ドアをノックする

585 label
荷札

put a （　　　　　） on the luggage
荷物に荷札を付ける

586 level
水準

be above the ordinary （　　　　　）
並の水準以上である

587 lift
持ち上げる，エレベーター

（　　　　　） the bag up
バッグを持ち上げる

588 limit
制限，制限する

the time （　　　　　）
時間制限

589 lucky
幸運な

be （　　　　　） to *do*
幸運にも～する

590 magic
魔法

a （　　　　　） word
魔法の言葉

591 manner
方法，態度，礼儀作法，習慣

bad （　　　　　）
不作法

592 merit
長所

the （　　　　　） of the plan
計画の長所

593 miracle
奇跡

do a （　　　　　）
奇跡を起こす

594 owner
持ち主

the （　　　　　） of this house
この家の持ち主

595 plan
予定，計画，～するつもりである

（　　　　　） for the weekend
週末の予定

例文の日本語訳	例文を完成しましょう

583 地震が不規則な間隔で起こった. Earthquakes occurred （　　　　）（　　　　　　　）（　　　　　　　　）.

584 誰かがドアをノックした. Someone （　　　　　　　）（　　　） the （　　　　　　　）.

585 彼は荷物に荷札を付けた. He （　　　　　　） a （　　　　　　　）（　　　　） the （　　　　　　　）.

586 彼の英語は並の水準以上である. His English （　　　　　）（　　　　　　） the （　　　　　　　）（　　　　）.

587 彼女は電車でバッグを棚に持ち上げた. She （　　　　　　　　） the （　　　　　　　）（　　　　） to the rack in the train.

588 時間制限はありません. There is no （　　　　　　　）（　　　　　　　　）.

589 私は幸運にも最終電車に間に合った. I （　　　　）（　　　　　　　　）（　　　　） catch the last train.

590 魔法の言葉を言いなさい. Say the （　　　　　　　）（　　　　　　　）.
＊Please と言わなかった子供に親が言う小言.

591 口に物をほおばって話すのは不作法です. It is （　　　　　　　）（　　　　　　　　） to talk with your mouth full.

592 その計画の長所を言いなさい. Tell me the （　　　　　　　）（　　　　） the （　　　　　　　）.

593 彼は奇跡を起こした. He （　　　　　　） a （　　　　　　）.

594 彼がこの家の持ち主だ. He is the （　　　　　　　）（　　　　） this （　　　　　　　）.

595 週末には何か予定がありますか. Do you have any （　　　　　　　）（　　　　） the （　　　　　　）?

5

英語を書いて覚えましょう。そのあと，音声を聞いて音読しましょう。

単語を2回書きましょう	ミニマル・フレーズを完成しましょう

596 quick
すばやい，速い

a (　　　　　　) question
短時間の質問

597 repeat
繰り返す

(　　　　　　) an error
間違いを繰り返す

598 smooth
なめらかな

as (　　　　　　) as silk
絹のようになめらかな

599 spare
取る，予備の

(　　　　　　) me some time
私のために少し時間を取る

600 special
特別な

for some (　　　　　　) purpose
ある特別な目的のために

601 stick
棒きれ，ステッキ，くっつく

a walking (　　　　　　)
ステッキ

602 volunteer
ボランティア

offer (　　　　　　) work
ボランティア活動を申し出る

603 sheet
1枚

a (　　　　　　) of paper
1枚の紙

604 private
私的な

a (　　　　　　) letter
私信

605 shave
ひげを剃る

(　　　　　　) every morning
毎朝ひげを剃る

606 background
背景，経歴

an academic (　　　　　　)
学歴

607 college
大学

in [at] (　　　　　　)
大学で

608 grade
学年，等級

the first (　　　　　　)
1年生

609 record
記録(する)，成績

have a good school (　　　　　　)
立派な学業成績をあげている

例文の日本語訳	例文を完成しましょう

596 短時間の質問をしてもいいですか.
Can I ask you a (　　　　　) (　　　　　)?

597 同じ間違いを繰り返すな.
Don't (　　　　) the same (　　　　).

598 そのドレスは絹のようになめらかです.
The dress is (　　) (　　　　) (　　) (　　　　).

599 私のために少し時間を取ってくれませんか.
Could you (　　　　) me (　　　　) (　　　)?

600 彼はある特別な目的のためにそこへ行った.
He went there (　　) (　　　) (　　　) (　　　).

601 彼はいつもステッキを持ち歩く.
He always carries a (　　　　) (　　　　).

602 彼女はボランティア活動をしようと申し出た.
She (　　　　) to do (　　　　) work.

603 私に紙を1枚下さい.
Give me a (　　　　) (　　) (　　　　), please.

604 彼は私信としてそれを書いた.
He wrote it as a (　　　　) (　　　　).

605 父は毎朝ひげを剃る.
My father (　　　　) (　　　　) (　　　　).

606 この仕事に学歴は重要ではない.
An (　　　　) (　　　　) is not important for this work.

607 私は大学で歴史を研究した.
I studied history (　　　) (　　　).

608 彼は1年生だ.
He is in (　　) (　　　) (　　　).

609 彼女は立派な学業成績をあげている.
She (　　) a (　　　) (　　　) (　　　).

7

英語を書いて覚えましょう。そのあと，音声を聞いて音読しましょう。

単語を2回書きましょう	ミニマル・フレーズを完成しましょう

610 adult
大人，成人
（　　　　　　　） education
成人教育

611 birth
誕生
at （　　　　　　　）
誕生時には

612 childhood
子供時代
in one's （　　　　　　　）
〜の子供時代に

613 community
共同体，地域社会
the Jewish （　　　　　　　）
ユダヤ人社会

614 depend
頼る
（　　　　　　　）（　　　　） one's parents
〜の両親に頼る

615 dependent
頼っている
be （　　　　　　　）（　　　） ability
能力次第である

616 each
それぞれの，各自
（　　　　　　　） other
お互い

617 elder
年上の
my （　　　　　　） brother
私の兄

618 feather
羽毛
a （　　　　　　） pillow
羽毛枕

619 folk
人々，家族，民族
country （　　　　　　）
田舎の人たち

620 group
集団
in a （　　　　　　）
集団で

621 housework
家事
do the （　　　　　　）
家事をする

622 introduction
紹介，導入
self-（　　　　　　）
自己紹介

623 kid
子供
take the （　　　　　　） to the zoo
子供たちを動物園に連れて行く

	例文の日本語訳	例文を完成しましょう

610 成人教育が必要だ. ( ) ( ) is needed.

611 息子は誕生時にはとても小さかった. My son was very small ( ) ( ).

612 彼女は子供時代にその山に登った. She climbed the mountain ( ) her ( ).

613 彼はユダヤ人社会に生まれた. He was born in ( ) ( ) ( ).

614 彼はまだ両親に頼っている. He still ( ) ( ) his parents.

615 彼の成功は能力次第である. His success ( ) ( ) ( ) his ability.

616 私たちはお互いに贈り物をした. We gave presents to ( ) ( ).

617 私の兄は教師です. My ( ) ( ) is a teacher.

618 私は羽毛枕を使っている. I use a ( ) ( ).

619 彼は田舎の人たちと話した. He talked with ( ) ( ).

620 それらの動物は集団で移動する. Those animals move ( ) a ( ).

621 私の母はたくさんの家事をする. My mother ( ) a lot of ( ).

622 自己紹介をしていただけますか. Would you give us your ( )?

623 今日は子供たちを動物園に連れて行くことになっています. I'm ( ) the ( ) ( ) the ( ) today.

9

A
35

📖 英語を書いて覚えましょう。そのあと，音声を聞いて音読しましょう。

単語を2回書きましょう	ミニマル・フレーズを完成しましょう

624 marriage
結婚
propose （　　　　　）
結婚を申し込む

625 married
結婚している
be （　　　　　）（　　　） the man
その男性と結婚している

626 neighbor
近所の人，隣人
a next-door （　　　　　）
隣人

627 personal
個人的な
（　　　　　） questions
個人的な質問

628 proud
誇りに思う
be （　　　　　）（　　　） one's son
〜の息子を誇りに思う

629 relationship
関係
have a close （　　　　　） with her
彼女と親密な関係にある

630 relative
相対的な，親戚
a distant （　　　　　）
遠い親戚

631 rely
信頼する
（　　　　　）（　　　） you
君を信頼する

632 rough
乱暴な，荒い
（　　　　　） manners
無作法

633 shake
揺れる，揺する
（　　　　　） him awake
彼を揺すって起こす

634 shut
閉める
（　　　　　） the window
窓を閉める

635 spoil
甘やかしてだめにする
（　　　　　） a child
子供を甘やかしてだめにする

636 steady
ぐらつかない，安定した
hold （　　　　　）
ちゃんと押さえる

637 support
支える
（　　　　　） one's family
家族を養う

624 彼は彼女に結婚を申し込んだ.　　He (　　　　　　　) (　　　　　　　) to her.

625 彼女はその男性と結婚して5年です.　　She has (　　　　　) (　　　　　) (　　　) the (　　　) for five years.

626 ジョン・スミスは隣人だ.　　John Smith is our (　　　　　　　) (　　　　　　　).

627 個人的な質問をするな.　　Don't ask (　　　　　) (　　　　　).

628 私は息子を誇りに思う.　　I (　　　) (　　　　　　　) (　　　) my (　　　).

629 彼は彼女と親密な関係にある.　　He (　　　) a (　　　　　) (　　　　　　　) (　　　　　) her.

630 田中氏は遠い親戚の1人です.　　Mr. Tanaka is one of our (　　　　　) (　　　　　　　).

631 君の両親はいつも君を信頼している.　　Your parents always (　　　　　　　) (　　　) you.

632 人を指差すことは無作法だ.　　It's (　　　　　) (　　　　　　　) to point at people.

633 母親は彼を揺すって起こした.　　His mother (　　　　　) (　　　) (　　　　　).

634 窓を全部閉めるのを忘れるな.　　Don't forget to (　　　　　) all the (　　　　　):

635 若い母親はしばしば子供を甘やかしてだめにする.　　Young mothers often (　　　　　) their children.

636 はしごをちゃんと押さえていろ.　　(　　　　　) the ladder (　　　　　).

637 彼女は家族を養った.　　She (　　　　　) her (　　　　　).

英語を書いて覚えましょう。そのあと，音声を聞いて音読しましょう。

単語を2回書きましょう	ミニマル・フレーズを完成しましょう

638 later
〜後に
three days （　　　　　　）
その3日後に

639 before
〜前に
three days （　　　　　　）
その3日前に

640 ago
〜前に
three days （　　　　）
今から3日前に

641 in
〜後に
（　　　　）three days
今から3日後に

642 lately
最近は
see her （　　　　　　）
最近彼女に会う

643 these days
近ごろ
not eat much （　　　　）（　　　　　）
近ごろあまり食べない

644 nowadays
近ごろ
（　　　　　　　）they have cars
近ごろ彼らは車を持っている

645 recently
最近は
married （　　　　　）
最近結婚した

646 until
〜までずっと
（　　　　　　）five o'clock
5時まで

647 by
〜までには，〜によって
（　　　　）five o'clock
5時までには

648 within
〜以内に，〜の内側に
（　　　　　）an hour
1時間以内に

649 whenever
〜するときはいつでも
（　　　　　）you like
好きなときにいつでも

650 while
〜する間に
（　　　　　）you cross a street
通りを渡るときは

651 during
〜の間に
（　　　　　）my stay in London
ロンドン滞在中に

例文の日本語訳	例文を完成しましょう

638 トムは家を出た．その3日後に，娘が生まれた．
Tom left home. (　　　　　　　) (　　　　　　　) (　　　　　　　), his daughter was born.

639 トムは家を出た．その3日前に，その知らせを耳にした．
Tom left home. (　　　　　　　) (　　　　　　　) (　　　　　　　), he heard the news.

640 トムは今から3日前に家を出た．
Tom left home (　　　　　　　) (　　　　　　　) (　　　　　　　).

641 トムは今から3日後に家に戻るはずだ．
Tom will come home (　　　　) (　　　　　　　) (　　　　　　　).

642 最近彼女に会ったかい．
Have you (　　　　　　　) her (　　　　　　　)?

643 彼女は近ごろあまり食べない．
She doesn't (　　　　　　　) (　　　　　　　) (　　　　　　　) (　　　　　　　).

644 近ごろ家に2台車を持っている家庭が多い．
(　　　　　　　) lots of families have two cars.

645 彼女は最近結婚した．
She got (　　　　　　　) (　　　　　　　).

646 5時までここで待ってください．
Please wait here (　　　　　　　) (　　　　　　　) (　　　　　　　).

647 5時までには帰宅しなさい．
Come back home (　　　　) (　　　　　　　) (　　　　　　　).

648 1時間以内に帰ってくるよ．
I'll return (　　　　　) an (　　　　　　　).

649 好きなときにいつでも遊びに来てください．
Come and see me (　　　　　　　) (　　　　　　　) (　　　　　　　).

650 通りを渡っているときは注意しなさい．
Be careful (　　　　　) you are (　　　　　　　) a (　　　　　　　).

651 私はロンドン滞在中に大英博物館を訪れた．
I visited the British Museum (　　　　　　　) my (　　　　　　　) in London.

英語を書いて覚えましょう。そのあと，音声を聞いて音読しましょう。

単語を2回書きましょう	ミニマル・フレーズを完成しましょう

652 anybody
誰でも，誰かが，誰も〜ない
(　　　　　) can *do*
誰でも〜できる

653 everybody
すべての人
(　　　　　) in the room
部屋にいるすべての人

654 oneself
自分自身
talk to (　　　　　)
独り言を言う

655 no one
誰も〜ない
(　　　　　) (　　　　　) played 〜
誰も〜しなかった

656 nobody
誰も〜ない
(　　　　　) played 〜
誰も〜しなかった

657 none
何も[誰も]〜ない
(　　　　　) of the boys
その男の子たちの中で誰も

658 gain
手に入れる，増える
(　　　　　) weight
体重が増える

659 collect
集める
(　　　　　) money for charity
慈善のために金を集める

660 hunt
狩る
(　　　　　) deer
鹿を狩る

661 suffer
苦しむ
(　　　　　) (　　　　　) poverty
貧困に苦しむ

662 accept
受け入れる
(　　　　　) an invitation
招待に応じる

663 acquire
獲得する，習得する
(　　　　　) a language
言語を習得する

664 import
輸入する，輸入
(　　　　　) cars
車を輸入する

例文の日本語訳	例文を完成しましょう

652 誰でもそんな事はわかる．
（　　　　　　　　　）（　　　　　）see that.

653 部屋にいるすべての人に席がある．
There is a seat for（　　　　　　　）in the（　　　　　　　）.

654 彼はよく独り言を言う．
He often（　　　　　　）（　　　）（　　　　　　　　）.

655 昨日は誰もサッカーをしなかった．
（　　　　　）（　　　　　）（　　　　　　）soccer yesterday.

656 昨日は誰もサッカーをしなかった．
（　　　　　　　）（　　　　　　　）soccer yesterday.

657 昨日その男の子たちの中で誰もサッカーをしなかった．
（　　　　　　　）（　　　　）the（　　　　　　）played soccer yesterday.

658 彼は体重が増えるのを恐れている．
He is afraid of（　　　　　　）（　　　　　　）.

659 私たちは慈善のためにお金を集めた．
We（　　　　　　）（　　　　　　　）for（　　　　　　）.

660 彼は鹿を狩るために山へ行った．
He went to the mountain to（　　　　　　）（　　　　　　　）.

661 世界には貧困に苦しんでいる地域もある．
Some parts of the world（　　　　　　）（　　　　　　）（　　　　　　）.

662 彼はパーティーへの招待に応じた．
He（　　　　　　）an（　　　　　　　）to the party.

663 子供は自然に言語を習得する．
Children naturally（　　　　　　）a（　　　　　　）.

664 日本はドイツから自動車を輸入している．
Japan（　　　　　　）（　　　　　　）from Germany.

15

📖 英語を書いて覚えましょう。そのあと，音声を聞いて音読しましょう。

単語を2回書きましょう	ミニマル・フレーズを完成しましょう

665 **attract**
引き付ける
_____　_____
(　　　　　　　) attention
注意を引く

666 **gather**
集める
_____　_____
(　　　　　　　) moss
苔を集める

667 **earn**
かせぐ
_____　_____
(　　　　　　　) 30 dollars a day
1日に30ドルかせぐ

668 **achieve**
達成する
_____　_____
(　　　　　　　) a new record
新記録を達成する

669 **receive**
受け取る
_____　_____
(　　　　　　　) a letter
手紙を受け取る

670 **borrow**
借りる
_____　_____
(　　　　　　　) a book
本を借りる

671 **obtain**
獲得する
_____　_____
(　　　　　　　) information
情報を得る

672 **steal**
盗む
_____　_____
(　　　　　　　) money from the rich
金持ちから金を盗む

673 **arrest**
逮捕する，逮捕
_____　_____
(　　　　　　　) him for murder
彼を殺人容疑で逮捕する

674 **require**
要求する，必要とする
_____　_____
(　　　　　　　) further examination
もっと調べることを要求する

675 **rob A of B**
A(人)からB(物)を奪う
_____　_____
(　　　　　　　) him (　　　　　　　)
his jewelry
彼から宝石を奪う

例文の日本語訳	例文を完成しましょう

665 彼女の笑顔が我々の注意を引いた.
Her smile (　　　　　　　) our (　　　　　　　).

666 転がる石は苔を集めない. →転石苔を生ぜず.
A rolling stone (　　　　　　) no (　　　　　　).

667 ジョンは1日に30ドルかせぐ.
John (　　　　　) 30 dollars (　　　) (　　　　　　).

668 彼は新記録を達成した.
He (　　　　　) a (　　　　　) (　　　　　　).

669 私たちは彼から手紙を受け取った.
We (　　　　　) a (　　　　　) from him.

670 私は図書館から本を借りた.
I (　　　　　) a (　　　　　) from the library.

671 彼はやっとのことで彼女についての情報を得た.
He (　　　　　) (　　　　　　) about her.

672 彼は金持ちから金を盗むつもりだった.
He was going to (　　　　　　) money (　　　) the rich.

673 警察はその男を殺人容疑で逮捕した.
The police (　　　　　) the man (　　　) murder.

674 我々はもっと調べることを要求する.
We (　　　　　　) further examination.

675 彼は宝石を奪われた.
He was (　　　　　) (　　　　) his jewelry.

英語を書いて覚えましょう。そのあと，音声を聞いて音読しましょう。

単語を２回書きましょう	ミニマル・フレーズを完成しましょう

676 ability 能力 ＿＿＿＿＿＿ ＿＿＿＿＿＿
（　　　　　） in math
数学の才能

677 absent 欠席している ＿＿＿＿＿＿ ＿＿＿＿＿＿
be （　　　　　）（　　　　　） school
学校を欠席している

678 activity 活動 ＿＿＿＿＿＿ ＿＿＿＿＿＿
club （　　　　　）
クラブ活動

679 aim 目標 ＿＿＿＿＿＿ ＿＿＿＿＿＿
the （　　　　　） of a lesson
学習の目標

680 cheat だます，カンニングする ＿＿＿＿＿＿ ＿＿＿＿＿＿
（　　　　　） on the examination
試験でカンニングする

681 confuse 混同する，困惑させる ＿＿＿＿＿＿ ＿＿＿＿＿＿
（　　　　　） A.D. with B.C.
紀元後と紀元前を混同する

682 congratulations おめでとう ＿＿＿＿＿＿ ＿＿＿＿＿＿
（　　　　　　）（　　　） ～
～おめでとう！

683 correct 訂正する，正しい ＿＿＿＿＿＿ ＿＿＿＿＿＿
（　　　　　） errors
間違いを訂正する

684 divide 分ける ＿＿＿＿＿＿ ＿＿＿＿＿＿
（　　　　　） the students （　　　　　） two groups
学生を２グループに分ける

685 earnest 熱心な ＿＿＿＿＿＿ ＿＿＿＿＿＿
be （　　　　　） about one's children's education
子供の教育に熱心である

686 education 教育 ＿＿＿＿＿＿ ＿＿＿＿＿＿
receive an equal （　　　　　）
平等に教育を受ける

687 effective 効果的な ＿＿＿＿＿＿ ＿＿＿＿＿＿
take （　　　　　） measures
効果的な対策をとる

688 elementary 初歩的な ＿＿＿＿＿＿ ＿＿＿＿＿＿
go to （　　　　　） school
小学校に通う

689 embarrassing 当惑させるような ＿＿＿＿＿＿ ＿＿＿＿＿＿
an （　　　　　） question
当惑させるような質問（厄介な質問）

例文の日本語訳	例文を完成しましょう

676 彼は数学の才能がない.

He has no (　　　　　　) (　　　　) (　　　　　　　　).

677 彼は今日学校を欠席した.

He (　　　) (　　　　　　) (　　　　　　) (　　　　　　) today.

678 ここのほとんどの生徒がクラブ活動に入っている.

Most students here join (　　　　　　) (　　　　　　).

679 今日の学習の目標はスピーチの方法を学ぶことです.

The (　　　) (　　　) today's (　　　　　) is to learn how to make a speech.

680 試験でカンニングした男の子が何人かいる.

Some boys (　　　　　) (　　　) the examination.

681 私は歴史の授業で時々紀元後と紀元前を混同する.

I sometimes (　　　　　　) A.D. (　　　　) B.C. in history class.

682 卒業おめでとう！

(　　　　　　　　　) (　　　) your graduation !

683 間違いを訂正していただけますか.

Would you mind (　　　　　) some (　　　　　　) ?

684 私たちの先生は学生を2グループに分けた.

Our teacher (　　　　　　) the students (　　　　　) two groups.

685 たいていの親は子供の教育に熱心である.

Most parents (　　　) (　　　　　　) (　　　　　) their children's (　　　　　　).

686 みんな平等に教育を受ける権利がある.

Everyone has the right to (　　　　　) an (　　　　　) (　　　　　).

687 彼らはそれに対して効果的な対策をとった.

They (　　　　　) (　　　　　) (　　　　　) against it.

688 娘は小学校に通っている.

My daughter (　　　) (　　　) (　　　　) (　　　).

689 私は厄介な質問をされた.

I was asked an (　　　　　) (　　　　).

英語を書いて覚えましょう。そのあと，音声を聞いて音読しましょう。

単語を2回書きましょう	ミニマル・フレーズを完成しましょう

690 **entrance**
入口，入学

the (　　　　　　) exam
入学試験

691 **examination**
調査，試験

take an (　　　　　　)
試験を受ける

692 **excellent**
優秀な

be (　　　　　　) in chemistry
化学の分野で優秀である

693 **fail**
〜を落第する

(　　　　　　) the exam
試験に落ちる

694 **fundamental**
根本的な，重要な

a (　　　　　　) change in education
教育の根本的な変革

695 **influence**
影響，影響を与える

have a great (　　　　　　) (　　　　　) us
私たちに大きな影響を与える

696 **homework**
宿題

do one's (　　　　　　)
宿題をする

697 **improvement**
改良，改善

the (　　　　　　) of English education
英語教育の改善

698 **instruction**
指示

follow the (　　　　　　)
指示に従う

699 **intelligence**
知性

a person of high (　　　　　　)
高い知性を持った人

700 **intelligent**
利口な

an (　　　　　　) answer
利口な答え

701 **junior**
年下の人，地位が低い

a man three years her (　　　　　　)
彼女より3歳年下の男性

702 **lecture**
講義（する）

give a (　　　　　　) on economics
経済学の講義をする

703 **matter**
問題，重要である

a (　　　　　　) of time
時間の問題

例文の日本語訳	例文を完成しましょう

690 彼は大学の入学試験に合格した． He passed the （　　　　　　）（　　　　　　　　　） to the university.

691 我々はみな昨日試験を受けた． All of us （　　　　　　） an （　　　　　　　　　） yesterday.

692 あの生徒は化学の分野で優秀である． That student （　　　）（　　　　　　）（　　　　　） chemistry.

693 私は試験に落ちた． I （　　　　　　　） the （　　　　　　　）.

694 教育の根本的な変革が行われている． There is a （　　　　　　　　）（　　　　　　　　）（　　　　　） education.

695 その先生は私たちに大きな影響を与えた． The teacher （　　　　） a great （　　　　　　　）（　　　　） us.

696 出かける前に宿題をしなさい． （　　　　） your （　　　　　　　　） before you go out.

697 私たちは英語教育の改善について話し合った． We had a discussion about the （　　　　　　　）（　　　　） English education.

698 あなたはその指示に従わなければならない． You must （　　　　　　　） the （　　　　　　　　　）.

699 天才とは高い知性を持った人のことである． A genius is a person （　　　　）（　　　　　　）（　　　　　　　　）.

700 彼女は私の問いに利口な答えを返した． She gave an （　　　　　　　　）（　　　　　　　） to my question.

701 彼女は3歳年下の男性と結婚した． She married a man （　　　　　　）（　　　　　　） her （　　　　　　　）.

702 彼は経済学の講義をした． He （　　　　　　） a （　　　　　　）（　　　） economics.

703 それは時間の問題だ． It's a （　　　　　　）（　　　　）（　　　　　　　　）.

英語を書いて覚えましょう。そのあと，音声を聞いて音読しましょう。

単語を2回書きましょう	ミニマル・フレーズを完成しましょう

704 mistake 間違い，間違える　／　make a (　　　) 間違いをする

705 note メモ，気付く，述べる　／　take a (　　　) メモをとる

706 praise ほめる　／　(　　　) him for his hard work 努力家であるということで彼をほめる

707 precise 正確な　／　a (　　　) answer 正確な答え

708 prepare 用意［準備］をする　／　(　　　)(　　) classes 授業の予習をする

709 primary 最初の，初等の，主要な　／　(　　　) education 初等教育

710 pupil 生徒　／　very bright (　　　) とても頭のいい生徒たち

711 respect 尊敬(する)　／　have (　　　) for my teachers 先生たちを尊敬している

712 senior 年上の人，地位が上の　／　nine years her (　　　) 彼女の9歳年上の人

713 skill 優れた腕前，技術　／　great (　　　) on the piano ピアノのすばらしい腕前

714 staff 職員　／　a (　　　) room 職員室

715 strict 厳しい　／　a (　　　) teacher 厳しい先生

716 strike 打つ，感動させる　／　(　　　) him on the head 彼の頭をたたく

717 university 総合大学　／　go to (　　　) 大学へ行く

718 worth 価値がある　／　be (　　　) reading 読む価値がある

例文の日本語訳	例文を完成しましょう

704 間違いをすることを恐れてはいけない.

Don't be afraid of (　　　　　　　) a (　　　　　　　).

705 彼の演説のメモをとったほうがいいよ.

You should (　　　　　　　) (　　　　　　　) of his speech.

706 みんな彼が努力家であると彼をほめる.

Everyone (　　　　　　　) him (　　　　) his hard work.

707 私たちの数学の先生はいつも正確な答えをしてくれる.

Our math teacher always gives us (　　　　　　　) (　　　　　　　).

708 授業の予習をしない生徒もいる.

Some students don't (　　　　　　　) (　　　　) (　　　　　　　).

709 政府が初等教育の費用を払う.

Our government pays for (　　　　　　　) (　　　　　　　).

710 彼らはとても頭のいい生徒だ.

They are (　　　　　　　) (　　　　　　　) (　　　　　　　).

711 私は先生たちを尊敬している.

I (　　　　　　　) (　　　　　　　) (　　　　　　　) my teachers.

712 彼女の夫は彼女の9歳年上の人だ.

Her husband is (　　　　　　　) (　　　　　　　) her (　　　　　　　).

713 彼女はピアノのすばらしい腕前を示した.

She showed great (　　　　　　) (　　　　) (　　　　) (　　　　　　).

714 我々は職員室で君を待っているよ.

We are waiting for you in the (　　　　　　　) (　　　　　　　).

715 吉田先生は理科の厳しい先生です.

Mr. Yoshida is a (　　　　　　　) (　　　　　　　) of science.

716 友達が彼の頭をたたいた.

His friend (　　　　　　) him (　　　) (　　　) (　　　　　　).

717 彼女は大学に行っている.

She (　　　　　　　) (　　　　) (　　　　　　　).

718 この本は読む価値がある.

This book (　　　　) (　　　　　　　) (　　　　　　).

英語を書いて覚えましょう。そのあと，音声を聞いて音読しましょう。

| 単語を2回書きましょう | ミニマル・フレーズを完成しましょう |

719 practical 実用的な　　( ) English 実用英語

720 improve より良くする　　( ) one's English 〜の英語を磨く

721 emphasis 強調, 重点　　put an ( ) on grammar learning 文法学習に重点を置く

722 effort 努力　　make every ( ) to *do* 〜するためにあらゆる努力をする

723 conversation 会話　　have a ( ) with her 彼女と話をする

724 foreign 外国の　　( ) goods 外国製品

725 normal 普通の, 正常な　　at a ( ) speed 普通の速さで

726 formal 堅苦しい, 公式の　　a ( ) speech 公式の演説

727 informal くだけた　　an ( ) use of language 言語のくだけた使い方

728 gesture 身振り　　by ( ) 身振りによって

729 meaning 意味　　get my ( ) 私の言うことを理解する

730 pardon 許し, 許す　　beg your ( ) 許しを乞う

731 phrase 句, 言い回し　　a set ( ) 決まり文句

732 tongue 舌, 言語　　my mother ( ) 私の母語

24

例文の日本語訳	例文を完成しましょう

719 多くの人が実用英語を習いたがっている.
Many people want to learn （　　　　　　　）（　　　　　　　　　）.

720 英語を磨く1番の方法は使うことです.
The best way to （　　　　　　　） your English is to use it.

721 彼の先生は文法学習に重点を置いた.
His teacher （　　　　　　） an （　　　　　　）（　　　　） grammar learning.

722 英語を習得するために彼はあらゆる努力をした.
He （　　　　　　）（　　　　　　）（　　　　　　　） to learn English.

723 私たちは昨夜, 彼女と話をした.
We （　　　） a （　　　　　　　　　）（　　　） her last night.

724 彼女は様々な外国製品を買うのが好きだ.
She likes to buy a great variety of （　　　　　　）（　　　　　　）.

725 彼女は英語を普通の速さで話した.
She spoke English （　　　）（　　　　）（　　　　　）（　　　　　）.

726 大統領は公式の演説を行った.
The president made a （　　　　　　）（　　　　　　）.

727 スラングは言語のくだけた使い方である.
Slang is an （　　　　　　）（　　　　　）（　　　　）（　　　　　　）.

728 私たちはお互いに身振りによって理解し合う.
We understand each other （　　　　）（　　　　　　　）.

729 彼女は私の言うことを理解した.
She （　　　　　　） my （　　　　　　）.

730 もう1度おっしゃってください.
I （　　　　　　　） your （　　　　　　）? （♪）

731 No problem！「いいですよ」は英語の決まり文句だ.
"No problem！" is a （　　　　　　）（　　　　　　　） in English.

732 私の母語は日本語です.
My （　　　　　　）（　　　　　　） is Japanese.

英語を書いて覚えましょう。そのあと，音声を聞いて音読しましょう。

単語を2回書きましょう	ミニマル・フレーズを完成しましょう

733 upon
〜の上に

jump (　　　　　　) the table
テーブルの上に飛び乗る

734 above
〜の上方に

a room (　　　　　　) the garage
ガレージの上の部屋

735 below
〜の下のほうに

(　　　　　　) sea level
海面より下に

736 behind
〜の後ろに

(　　　　　　) me
私の後ろに

737 under
〜の真下に

sleep (　　　　　　) a tree
木の下で眠る

738 beyond
〜を越えて

(　　　　　　) the horizon
水平線の彼方に

739 overseas
海外へ

go (　　　　　　)
外国へ行く

740 through
〜を通り過ぎて

go (　　　　　　) a red light
赤信号を通過する

741 apart
離れて

wide (　　　　　　)
大きく開いて

742 everywhere
いたるところで

look (　　　　　　)
いたるところを探す

743 somewhere
どこかに

leave an umbrella (　　　　　　)
傘をどこかに置き忘れる

744 anywhere
どこかに，どこにでも

see my glasses (　　　　　　)
どこかで私の眼鏡を見る

例文の日本語訳	例文を完成しましょう

733 1匹の猫がテーブルの上に飛び乗った.　　A cat (　　　　　) (　　　　　) the (　　　　　).

734 ガレージの上に部屋がある.　　There's a room (　　　　　) the (　　　　　).

735 この地域は海面より下にある.　　This area is (　　　　) (　　　　) (　　　　).

736 ジョンは私の後ろに座っている.　　John sits (　　　　) (　　　).

737 旅人は木の下で眠った.　　The traveler (　　　　) (　　　　) a (　　　　).

738 その船は水平線の彼方に消えた.　　The ship disappeared (　　　　) the (　　　　).

739 彼はよく外国へ行く.　　He often (　　　　) (　　　　).

740 赤信号を通過してはいけない.　　Don't (　　　) (　　　　) a red (　　　　).

741 彼は足を大きく開いて立った.　　He stood with his feet (　　　　) (　　　　).

742 彼は鍵を見つけようといたるところを探した.　　He (　　　　) (　　　　) for the key.

743 私は傘をどこかに置き忘れた.　　I (　　　　) my (　　　) (　　　　).

744 私の眼鏡をどこかで見ましたか.　　Have you seen my glasses (　　　　)?

📘 英語を書いて覚えましょう。そのあと，音声を聞いて音読しましょう。

単語を2回書きましょう	ミニマル・フレーズを完成しましょう

745 offer
提案(する)，申し出(る)

accept an （　　　　　　）
申し出[提案]を受け入れる

746 provide
供給する

（　　　　　　） them （　　　　　　）
food and drink
彼らに飲食物を供給する

747 supply
供給する

（　　　　　　） water （　　　　　　）
local villages
水を地元の村々に供給する

748 shock
ショックを与える

be （　　　　　　） at the news
そのニュースでショックを受ける

749 recommend
推薦する

（　　　　　　） that you read ～
君に～を読むように勧める

750 broadcast
放送する

（　　　　　　） the news
ニュースを放送する

751 export
輸出する，輸出

（　　　　　　） tea to England
イングランドに茶を輸出する

752 feed
えさをやる

（　　　　　　） a dog
犬にえさをやる

753 devote
専念する

（　　　　　　） oneself to teaching
教えることに専念する

754 deliver
配達する

（　　　　　　） a letter to him
彼に手紙を配達する

755 pay
を払う

（　　　　） 1,000 yen for it
それに千円払う

756 rent
借りる [貸す]

（　　　　　　） a car
レンタカーを借りる

757 advise
忠告する

（　　　　　　） him to get some rest
彼に少し休むように忠告する

758 harm
害，害を与える

do us （　　　　　　）
私たちに害を与える

例文の日本語訳	例文を完成しましょう

745 彼らはその申し出を受け入れた.　They (　　　　　　　　) the (　　　　　　　　).

746 我々は彼らに飲食物を供給した.　We (　　　　　　　) them (　　　　) food and drink.

747 彼らは水を地元の村々に供給する.　They (　　　　　　　) water (　　　　) local villages.

748 私たちはそのニュースにショックを受けた.　We (　　　　　　)(　　　　　　)(　　　　　) the news.

749 私は君にこの本を読むように勧める.　I (　　　　　　　) that you read this book.

750 彼らはそのニュースを全国放送した.　They (　　　　　　　) the (　　　　　　　) nationally.

751 中国はイングランドに茶を輸出していた.　China (　　　　　　)(　　　　)(　　　)(　　　　　　).

752 彼はたった今犬にえさをやった.　He (　　　　　　　) his (　　　　　　　) just now.

753 彼女は教えることに専念した.　She (　　　　　) herself (　　)(　　　　　).

754 郵便配達人は彼に手紙を配達した.　The mailperson (　　　　　) a (　　　　)(　　　) him.

755 それにいくら払ったの.　How much did you (　　)(　　) it ?

756 私たちはレンタカーを借りて奈良に出かけた.　We (　　　　　) a (　　　　　) and went to Nara.

757 私は彼に少し休むように忠告した.　I (　　　　　) him (　　)(　　　　　)(　　　)(　　　　　).

758 麻薬は私たちに害を与える.　Drugs (　　　)(　　　)(　　　　　).

29

📖 英語を書いて覚えましょう。そのあと，音声を聞いて音読しましょう。

単語を2回書きましょう	ミニマル・フレーズを完成しましょう

759 follow
後を追う

(　　　　　　) Sunday
日曜日の次に来る

760 lead
導く，通じている

(　　　　　) (　　　) the station
駅に通じている

761 flow
流れる

(　　　　　　) north
北に流れている

762 attend
〜に出席する

(　　　　　　) the party
パーティーに出席する

763 advance
進歩(する)

(　　　　　) countries
先進国

764 reach
着く，伸ばす，範囲

(　　　　　) one's hand out for the book
手を伸ばして本を取る

765 climb
登る

(　　　　　) Mt. Fuji
富士山に登る

766 cross
横切る

(　　　　　) a river in a boat
ボートで川を横断する

767 escape
逃げ出す，まぬがれる

(　　　) (　　　　　) the burning house
燃えている家から逃げ出す

768 approach
〜に接近する

(　　　　　) the Osaka area
大阪地域に接近している

769 appear
姿を現す，〜に見える

(　　　　　) on television
テレビに出演する

770 disappear
消える

(　　　　　) from view
視界から消える

771 graduate
卒業する，卒業生

(　　　) (　　　　　) the university
その大学を卒業する

例文の日本語訳	例文を完成しましょう

759 月曜日は日曜日の次に来る. Monday （　　　　　　）（　　　　　　）.

760 この道は駅に通じている. This road （　　　　　　）（　　　　） the （　　　　　　）.

761 ナイル川は北に流れている. The Nile （　　　　　　）（　　　　　　）.

762 私は昨日パーティーに出席した. I （　　　　　　　） the party yesterday.

763 日本は先進国の1つだ. Japan is one of the （　　　　　　）（　　　　　　）.

764 彼女は手を伸ばして本を取った. She （　　　　　　） her （　　　　　）（　　　　）（　　　） the book.

765 私は1度富士山に登ったことがある. I have （　　　　　　） Mt. Fuji once.

766 男の子たちはボートで川を横断した. The boys （　　　　　　） a river （　　　） a （　　　　　　）.

767 男の子たちは燃えている家から逃げ出した. The boys （　　　　）（　　　　　　） the （　　　　　） house.

768 台風が大阪地域に接近している. A typhoon is （　　　　　　） the （　　　　　）（　　　　　）.

769 彼は明日, テレビに出演するだろう. He will （　　　　　）（　　　）（　　　　　） tomorrow.

770 その飛行物体は視界から消えた. The flying object （　　　　　　）（　　　　　）（　　　　　）.

771 彼はその大学を卒業した. He （　　　　　）（　　　　　　） the （　　　　　　）.

📖 英語を書いて覚えましょう。そのあと，音声を聞いて音読しましょう。

単語を2回書きましょう	ミニマル・フレーズを完成しましょう

772 advice
忠告
take one's （　　　　）
〜の忠告を聞く

773 brush
磨く
（　　　　） one's teeth
〜の歯を磨く

774 chance
可能性，機会，偶然
（　　　　） are 〜
おそらく〜だろう

775 contact
接触
get in （　　　　） with him
彼と接触を持つ

776 convenient
便利な
a （　　　　） place to go skiing
スキーに行くのに便利な場所

777 copy
コピー，1冊
make a （　　　　） of a report
報告書のコピーをとる

778 diet
ダイエット
be on a （　　　　）
ダイエット中です

779 error
間違い
make an （　　　　）
間違いをする

780 female
女性の，雌（の）
a （　　　　） dog
雌犬

781 male
男性の，雄（の）
a （　　　　） suspect
男性の容疑者

782 force
無理やり〜させる，力
（　　　　） me to call her up
無理やり彼女へ電話させる

783 freeze
凍る，動かずにいる
（　　　　）!
「動くな」

784 function
機能，関数
the （　　　　） of the brain
脳の機能

例文の日本語訳	例文を完成しましょう

772 彼は私の忠告を聞かなかった. He didn't (　　　　　　　　　) my (　　　　　　　　　).

773 寝る前に歯を磨きなさい. (　　　　　　　　) your (　　　　　　) before you go to bed.

774 おそらく明日は雨だろう. (　　　　　　) (　　　　　　　　) that it will rain tomorrow.

775 彼らは彼と接触を持った. They (　　　　) (　　　) (　　　　　) (　　　　　) him.

776 そのホテルはスキーに行くのに便利な場所にある. The hotel is at a (　　　　　　) (　　　　) to (　　　) (　　　　　　).

777 彼女は報告書のコピーをとった. She (　　　　　　) a (　　　　　　) (　　　) a report.

778 彼はダイエット中です. He (　　) (　　　) (　　) (　　　　　).

779 彼女は勘定の間違いをした. She (　　　　) an (　　　　　　) in the bill.

780 私たちは雌犬を飼っている. We have a (　　　　　) (　　　　　).

781 警察は男性の容疑者を逮捕した. The police arrested a (　　　　　) (　　　　　).

782 彼らは私に無理やり彼女へ電話させた. They (　　　) me (　　) (　　　　) her (　　).

783 警官は「動くな！」と叫んだ. The cop shouted, "(　　　　)!"

784 脳の機能は不思議である. The (　　　　) (　　) the (　　　) are mysterious.

英語を書いて覚えましょう。そのあと，音声を聞いて音読しましょう。

単語を2回書きましょう	ミニマル・フレーズを完成しましょう

785 future
未来
in the （　　　　　　）
将来には

786 guest
客, 宿泊客
a （　　　　　　） singer
ゲスト歌手

787 handle
取っ手, 取り扱う
the （　　　　　　） of the cup
コップの取っ手

788 hometown
故郷
return to one's （　　　　　　）
〜の故郷に帰る

789 image
そっくりの人物, 像, イメージ
the （　　　　　　） of your father
あなたの父親そっくり

790 local
地元の
（　　　　　　） news
地元のニュース

791 figure
人間, 図, 考える
a central （　　　　　　）
中心人物

792 model
手本, 模型, ファッションモデル
as a （　　　　　　） for oneself
〜の手本として

793 neutral
中立の
a （　　　　　　） country
中立国

794 photograph
写真
take a （　　　　　　） of my family
家族の写真を撮る

795 print
印刷(する), 痕跡
out of （　　　　　　）
絶版

796 rare
まれな, めったにない
It is （　　　　　　） for him to *do*
彼が〜することはめったにない

797 relax
リラックスする
sit down and （　　　　　　）
腰をおろしてくつろぐ

例文の日本語訳	例文を完成しましょう

785 あなたの夢は将来には実現するかもしれない.
Your dream may come true (　　　)(　　　)(　　　).

786 今日のゲスト歌手は誰ですか.
Who is the (　　　　　)(　　　　　) today？

787 コップの取っ手がとれた.
The (　　　　)(　　　) the (　　　　) came off.

788 彼女は故郷へ帰った.
She (　　　　)(　　　) her (　　　　　).

789 あなたは父親そっくりだ.
You are the (　　　　)(　　) your (　　　　).

790 私はラジオで地元のニュースを聞いた.
I heard (　　　　)(　　　　) on the radio.

791 彼はそのドラマの中心人物です.
He is a (　　　　)(　　　　) in the drama.

792 彼女は自分の手本として母親を選んだ.
She took her mother (　　)a (　　　　)(　　) herself.

793 スイスは中立国だ.
Switzerland is a (　　　　)(　　　　).

794 私は家族の写真を撮った.
I (　　　)a (　　　　)(　　) my (　　　　).

795 その本は絶版です.
The book is (　　)(　　)(　　　　).

796 彼が遅れることはめったにない.
It is (　　　　)(　　) him (　　) be late.

797 私はただ腰をおろしてくつろぎたい.
I just want to (　　　)(　　　) and (　　　　).

📓 英語を書いて覚えましょう。そのあと，音声を聞いて音読しましょう。

単語を２回書きましょう	ミニマル・フレーズを完成しましょう

798 clear
澄みきった

as (　　　　　　) as glass
ガラスのように澄みきって

799 climate
気候

have a mild (　　　　　　)
穏やかな気候である

800 coal
石炭

burn (　　　　　　)
石炭を燃やす

801 creature
生き物，動物

(　　　　　　) on earth
地球の生き物

802 dangerous
危険な

a (　　　　　　) animal
危険な動物

803 deal
取り扱う

(　　　　　　) (　　　　　　) noise pollution
騒音公害を取り扱う

804 dense
濃い

a (　　　　　　) fog
濃い霧

805 destroy
破壊する

(　　　　　　) the forest
森林を破壊する

806 dust
ほこり

the desk covered with (　　　　　　)
ほこりをかぶった机

807 effect
効果

the greenhouse (　　　　　　)
温室効果

808 energy
エネルギー，元気

be full of (　　　　　　)
元気一杯である

809 environment
(自然)環境

pollute the (　　　　　　)
環境を汚染する

810 essential
不可欠の

be (　　　　　　) (　　　　　　) life
生命に不可欠である

例文の日本語訳	例文を完成しましょう

798 彼女の目はガラスのように澄みきっている.

Her eyes are (　　　　) (　　　　　　　) (　　　) (　　　　　　　　).

799 日本は穏やかな気候である.

Japan (　　　　) a (　　　　　　　) (　　　　　　　).

800 冬にはよく石炭を燃やした.

In winter we often (　　　　　　　) (　　　　　　　).

801 多くの地球の生き物が絶滅しつつある.

A lot of (　　　　　　　) (　　　) (　　　　　　　) are dying out.

802 ライオンは危険な動物だ.

The lion is a (　　　　　　　) (　　　　　　　).

803 彼は会議で騒音公害を取り扱うつもりだ.

He is going to (　　　　　　　) (　　　　　　　) noise pollution at the meeting.

804 通りには濃い霧が立ち込めていた.

There was a (　　　　　　　) (　　　　　　　) in the street.

805 人類は森林を破壊してきた.

Humans have (　　　　　　　) the (　　　　　　　).

806 彼はほこりをかぶった机の上に座った.

He sat on the desk (　　　　　　　) (　　　　　　　) (　　　　　　　).

807 温室効果のために地球の温度が上昇している.

The earth is getting warmer because of the greenhouse (　　　　　　　).

808 子供たちは元気一杯である.

Children (　　　　) (　　　　　　　) (　　　) (　　　　　　　).

809 私たちは環境を汚染すべきではない.

We shouldn't pollute the (　　　　　　　).

810 水は生命に不可欠である.

Water (　　　) (　　　　　　　) (　　　) life.

📖 英語を書いて覚えましょう。そのあと，音声を聞いて音読しましょう。

単語を2回書きましょう	ミニマル・フレーズを完成しましょう

811 forest
森林

a (　　　　　　) fire
山火事

812 fuel
燃料

fossil [fásl] (　　　　　　)
化石燃料（石炭・石油等）

813 greenhouse
温室

the (　　　　　　) effect
温室効果

814 grow
成長する，栽培する

(　　　　　　) into a large city
大都市に成長する

815 insect
昆虫

the songs of birds and (　　　　　　)
鳥や虫の鳴き声

816 instinct
本能，直観

by (　　　　　　)
本能によって

817 iron
鉄

as hard as (　　　　　　)
鉄のように固い

818 layer
層

the ozone (　　　　　　)
オゾン層

819 metal
金属

scrap (　　　　　　)
くず鉄

820 mineral
鉱物

(　　　　　　) water
ミネラルウォーター

821 natural
当然の，天然の

It's (　　　　　　) to *do*
〜するのは当然です

822 nature
自然，性質

the (　　　　　　) of education
教育の性質

823 nuclear
核の，原子力の

(　　　　　　) power station
原子力発電所

例文の日本語訳	例文を完成しましょう

811 先週，山火事が3件あった.

There were three (　　　　　)(　　　　　　　　) last week.

812 石炭や石油は化石燃料と呼ばれている.

Coal and gas are called (　　　　　)(　　　　　　).

813 温室効果は多くの問題を引き起こす.

The (　　　　　)(　　　　　) causes a lot of problems.

814 その小さな町は大都市に成長した.

The small town (　　　　　)(　　　　　) a (　　　　　)
(　　　　　).

815 鳥や虫の鳴き声を日本人は愛している.

Japanese people love the (　　　　　)(　　　) birds and
(　　　　　).

816 ツバメは本能によって春になると日本に帰ってくる.

Swallows come back to Japan in spring (　　　)(　　　　　).

817 彼女の意志は鉄のように固い.

Her will is (　　　)(　　　　)(　　　)(　　　　).

818 オゾン層の破壊は深刻な問題です.

The destruction of the (　　　　　)(　　　　　) is a
serious problem.

819 彼らはくず鉄を扱っている.

They deal in (　　　　　)(　　　　　).

820 その店ではミネラルウォーターを売っている.

They sell (　　　　　)(　　　　　) at the shop.

821 他の人を助けるのは当然です.

It's (　　　　　)(　　　)(　　　　　) others.

822 IT が教育の性質を変えた.

Information technology has changed the (　　　　　)(　　　)
(　　　　　).

823 我々は原子力発電所に反対だ.

We are against (　　　　)(　　　　　)(　　　　).

📖 英語を書いて覚えましょう。そのあと，音声を聞いて音読しましょう。

単語を2回書きましょう	ミニマル・フレーズを完成しましょう

824 piece
1つ，断片

break into (　　　　　　)
こなごなに壊れる

825 planet
惑星

wildlife of this (　　　　　　　)
この惑星の野生生物

826 pollution
汚染，公害

sources of air (　　　　　　　　)
大気汚染の原因

827 resource
資源

natural (　　　　　　　)
天然資源

828 consumer
消費者[国]

a (　　　　　　　) of oil
石油の消費国

829 crisis
危機

an energy (　　　　　　　)
エネルギー危機

830 shine
光る，輝く

~ is (　　　　　　)
~が輝いている

831 temperature
温度，体温

the (　　　　　　　　) of this room
この部屋の温度

832 weather
天気

fine (　　　　　　)
いい天気

833 mild
穏やかな，温暖な

(　　　　　　　) weather
温暖な天気

834 plant
植物，植える

(　　　　　　　) and animals
動植物

835 noise
物音，雑音

(　　　　　　　) pollution
騒音公害

例文の日本語訳	例文を完成しましょう

824 花瓶がこなごなに壊れた.
The vase (　　　　　　　) (　　　　　　　) (　　　　　　　).

825 この惑星の多くの野生動物が消滅しつつある.
A lot of the (　　　　　　) of this (　　　　　　) is disappearing.

826 自動車が多すぎることが大気汚染の主な原因の1つだ.
Too many cars are one of the main sources of (　　　　　　) (　　　　　　).

827 天然資源がますます減っている.
(　　　　　　) (　　　　　　) are getting fewer and fewer.

828 アメリカは石油の大消費国です.
The US is a big (　　　　　　) (　　　) (　　　　　　).

829 近い将来エネルギー危機が起こるだろう.
There will be an (　　　　　　) (　　　　　　) in the near future.

830 太陽が輝いている.
The sun (　　　) (　　　　　　).

831 この部屋の温度は何度ですか.
What is the (　　　　　　) (　　　) this (　　　　　　)?

832 今日はいい天気だ.
We have (　　　　　) (　　　　　) today.

833 今年の冬は温暖な天気だった.
We had (　　　　　) (　　　　　　) this winter.

834 地球上のすべての動植物を尊重しなければいけない.
We should respect all (　　　　　　) and (　　　　　) on the earth.

835 彼らは騒音公害に悩んでいる.
They are suffering from (　　　　　　) (　　　　　　).

英語を書いて覚えましょう。そのあと，音声を聞いて音読しましょう。

単語を2回書きましょう	ミニマル・フレーズを完成しましょう

836 advertisement
広告，宣伝

newspaper （　　　　　　　　）
新聞広告

837 available
利用可能な

no （　　　　　　　） rooms
空き部屋がない

838 bank
銀行

in the （　　　　　　）
銀行に

839 charge
請求する，使用料

（　　　　　　　　） 500 yen
500円を請求する

840 commercial
商業の

（　　　　　　　　　） messages
広告放送（CM）

841 customer
客

a regular （　　　　　　　）
常連客

842 display
陳列する，陳列，画面

（　　　　　　　　） new goods
新しい商品を陳列する

843 expensive
高い

an （　　　　　　） restaurant
高いレストラン

844 cheap
安い

a （　　　　　　） restaurant
安いレストラン

845 frequent
頻繁な

（　　　　　　　　） trips to Tokyo
東京への頻繁な旅行

846 serve
仕える，出す

（　　　　　　　） him a cup of coffee
彼にコーヒーを1杯出す

847 neighborhood
近所，付近

in the （　　　　　　　　） of the station
駅の近くに

例文の日本語訳	例文を完成しましょう

836 新聞広告の中には面白いものもある.

Some of the (　　　　　)(　　　　　　　　　　　) are interesting.

837 そのホテルに空き部屋はない.

The hotel has (　　　)(　　　　　)(　　　　　).

838 彼女は銀行にお金を預けた.

She put money (　　　) the (　　　　　).

839 あの新しいコーヒーショップはコーヒー1杯に500円請求する.

That new coffee shop (　　　　　) 500 yen for a cup of coffee.

840 テレビには広告放送が多すぎる.

There are too many (　　　　　)(　　　　　　) on TV.

841 あの人が常連客だということを覚えておきなさい.

Don't forget that man is a (　　　　)(　　　　).

842 彼らはショーウィンドーに新しい商品を陳列した.

They (　　　　　)(　　　　　)(　　　　　) in a show window.

843 あそこは高いレストランだ.

That is an (　　　　　)(　　　　　).

844 ここは安いレストランだ.

This is a (　　　　　)(　　　　　).

845 彼女は東京へ頻繁に旅行した.

She took (　　　　　)(　　　　　)(　　　) Tokyo.

846 ウェイターは彼にコーヒーを1杯出した.

The waiter (　　　　　) him a (　　　)(　　　) coffee.

847 駅の近くにコンビニがある.

There's a convenience store (　　　) the (　　　　　　) of the station.

英語を書いて覚えましょう。そのあと，音声を聞いて音読しましょう。

単語を2回書きましょう	ミニマル・フレーズを完成しましょう

848 **damage**
損害

do (　　　　　　) to the village
村に損害を与える

849 **disaster**
災害

cause a national (　　　　　　)
全国的な災害を引き起こす

850 **earthquake**
地震

be hit by a big (　　　　　　)
大地震に見舞われる

851 **affect**
影響を与える

(　　　　　　) the crops
作物に影響を与える

852 **flood**
洪水

the (　　　　　　) caused damage
洪水が被害をもたらした

853 **save**
救う，貯蓄する，節約する

(　　　　　　) money
貯金する

854 **severe**
厳しい，ひどい

a (　　　　　　) earthquake
ひどい地震

855 **survive**
生き延びる

(　　　　　　) the earthquake
その地震を生き延びる

856 **victim**
犠牲者，被災者

earthquake (　　　　　　)
地震の被災者

857 **delay**
遅らせる

be (　　　　　　) by the heavy rain
豪雨のために遅れる

858 **miss**
乗り遅れる，失って寂しく思う

(　　　　　　) the last bus
最終バスに乗り遅れる

859 **wrong**
間違っている

the (　　　　　　) bus
間違ったバス

例文の日本語訳	例文を完成しましょう

848 その地震は村に損害を与えた. The earthquake (　　　　) (　　　　　　) (　　　　　) the (　　　　　　).

849 その台風は全国的な災害を引き起こすだろう. The typhoon will (　　　　　) a (　　　　　　　) (　　　　　　).

850 その地域は大地震に見舞われた. That area (　　　) (　　　　) (　　　　) a big (　　　　　　).

851 台風は作物に影響を与える. Typhoons (　　　　　　　) the (　　　　　　　).

852 洪水はその都市に多大な被害をもたらした. The (　　　　　　　) (　　　　　　　) great (　　　　　) to the city.

853 まさかの時のために貯金しなさい. (　　　　　　　) (　　　　　　　) for a rainy day.

854 神戸でひどい地震があった. There was a (　　　　　　) (　　　　　　　) in Kobe.

855 その地震を生き延びた人はほとんどいなかった. Few people (　　　　　　) the (　　　　　　　).

856 政府は地震の被災者に援助をするべきだ. The government has to provide help to (　　　　　) (　　　　　　).

857 私たちの列車は豪雨のために遅れた. Our train (　　　) (　　　　　) (　　　) the (　　　　) (　　　　　　).

858 私は最終バスに乗り遅れて途方にくれた. I was at a loss when I (　　　　) (　　　) (　　　　) (　　　　　　).

859 彼は間違ったバスに乗った. He took the (　　　　　　) (　　　　　　).

📖 英語を書いて覚えましょう。そのあと，音声を聞いて音読しましょう。

単語を2回書きましょう	ミニマル・フレーズを完成しましょう

860 almost
ほとんど，危うく～しそうになる
（　　　　　　） all the people
ほとんどすべての人々

861 nearly
ほとんど，危うく～しそうになる
（　　　　　　） drowned
危うく溺れそうになった

862 safe
安全な
（　　　　　　） driving
安全運転

863 accident
事故，偶然
traffic （　　　　　　）
交通事故

864 cause
原因，主義・主張，引き起こす
the （　　　　　　） of the accident
事故の原因

865 control
制御（する）
lose （　　　　　　）
制御できない

866 wound
負傷させる，傷
be badly （　　　　　　）
ひどい傷を負う

867 leg
脚
the （　　　　　　） of the desk
机の脚

868 death
死
auto （　　　　　　） rate
交通事故死亡率

869 occur
起こる
the accident （　　　　　　）
事故が起こる

870 hurt
怪我をさせる
（　　　　　　） one's leg
～の足を怪我する

871 injure
傷つける
（　　　　　　） one's arm
～の腕を怪我する

872 investigate
詳しく調査する
（　　　　　　） the cause
原因を調査する

873 indicate
示す
The report （　　　　　　） that ～
～と報告書は示している

	例文の日本語訳	例文を完成しましょう

860 その事故でほとんどすべての人々が死んだ. （　　　　　　　　）（　　　　）（　　　　）（　　　　　　　　） were killed in the accident.

861 その少年は危うく溺れそうになった. The boy （　　　　　　　）（　　　　　　　）.

862 安全運転が第一だ. （　　　　　　　　）（　　　　　　　） comes first.

863 彼は交通事故にあった. He had a （　　　　　　　）（　　　　　　　）.

864 事故の原因は何だったのか. What was the （　　　　　　　） of the （　　　　　　　）?

865 彼は車を制御できなくなり，木にぶつかった. He （　　　　　　　）（　　　　　　　） of his car and hit a tree.

866 彼は戦争でひどい傷を負った. He （　　　　）（　　　　　　　）（　　　　　　　） in the war.

867 机の脚の1本が折れている. One of the （　　　　　　　）（　　　　） the （　　　　　　　） is broken.

868 交通事故死亡率は上昇中だ. The （　　　　　　　）（　　　　　　　）（　　　　　　　） has been rising.

869 事故はいつ起こったのですか. When did the （　　　　　　　）（　　　　　　　）?

870 トムはサッカーで足を怪我した. Tom （　　　　　　　） his （　　　　　　　） in soccer.

871 彼女は事故で腕を怪我した. She （　　　　　　　） her （　　　　　　　） in the accident.

872 彼らはその火事の原因を調査した. They （　　　　　　　） the （　　　　　　　） of the fire.

873 交通事故の数が増えていると報告書は示している. The report （　　　　　　　） that traffic accidents are increasing in number.

📖 英語を書いて覚えましょう。そのあと，音声を聞いて音読しましょう。

単語を2回書きましょう	ミニマル・フレーズを完成しましょう

874 against
〜に対して，反対して

be (　　　　　　　) the plan
その計画に反対である

875 ahead
前方に［へ］

go (　　　　　　)
前方に進む

876 along
〜に沿って

walk (　　　　　　) the street
通りに沿って歩く

877 away
離れて

500 miles (　　　　　　) from here
ここから500マイル離れて

878 forward
前方に

go (　　　　　　)
前方に進む

879 further
もっと遠く，それ以上に

walk (　　　　　　)
これ以上歩く

880 toward
〜に向かって

(　　　　　　) the door
ドアに向かって

881 upstairs
上の階へ，2階へ

go (　　　　　　)
2階へ行く

882 despite
〜にもかかわらず

(　　　　　　) the heavy rain
大雨にもかかわらず

883 in spite of
〜にもかかわらず

(　　　) (　　　) (　　　) his efforts
彼の努力にもかかわらず

884 though
〜けれども

(　　　　　　) he is rich
彼は金持ちだけれども

885 although
〜けれども

(　　　　　　) he is young
彼は若いけれども

886 except
〜を除いて

everyone (　　　　　　) Tom
トムを除いて全員

887 whether
〜かどうかということ

(　　　　　　) he is still alive
彼がまだ生きているのかどうか

例文の日本語訳	例文を完成しましょう

874 私はその計画に反対である.   I (   ) (   ) the (   ).

875 列車はゆっくり前に進んだ.   The train (   ) (   ) slowly.

876 私たちはその通りに沿って歩いた.   We (   ) (   ) the (   ).

877 ロサンゼルスはここから500マイル離れている.   Los Angeles is 500 miles (   ) (   ) (   ).

878 軍隊は前方に進んだ.   The army (   ) (   ).

879 私はこれ以上歩けない.   I can't (   ) (   ).

880 彼はドアに向かって歩いた.   He walked (   ) the (   ).

881 彼女は2階の寝室へ行った.   She (   ) (   ) to the bedroom.

882 彼は大雨にもかかわらず出発した.   He left (   ) the (   ) (   ).

883 努力にもかかわらず彼はその試験に落ちた.   (   ) (   ) (   ) his efforts, he failed the exam.

884 彼は金持ちだけれども幸福ではない.   (   ) he is rich, he is not happy.

885 彼は若いけれども賢い.   (   ) he is young, he is wise.

886 トムを除いて全員がパーティーに出ていた.   Everyone (   ) Tom was at the party.

887 彼がまだ生きているのかどうかわからない.   I don't know (   ) he is still alive.

📖 英語を書いて覚えましょう。そのあと，音声を聞いて音読しましょう。

単語を2回書きましょう	ミニマル・フレーズを完成しましょう

888 consist
成る，構成されている
（　　　　　）（　　　） 30 students
30人の生徒から成る

889 share
共有する
（　　　　　） a room with my brother
兄と部屋を共有する

890 hold
手に持つ
（　　　　　） her by the hand
彼女の手を握る

891 wear
身につけている
（　　　　　） glasses
眼鏡をかけている

892 inform
知らせる
（　　　　　） him （　　　） our plans
彼に我々の計画を知らせる

893 recognize
わかる，認める
（　　　　　） me
私が誰だかわかる

894 realize
気づく，実現させる
（　　　　　） my mistakes
自分の間違いに気づく

895 contain
含む
（　　　　　） alcohol
アルコールを含む

896 identify
確認する，誰だかわかる
（　　　　　） the voice
声の主が誰かわかる

897 examine
調査する
（　　　　　） a bag
鞄の中身を調べる

898 stare
じろじろ見つめる
（　　　　　）（　　　） me
私のことをじろじろ見る

899 gaze
興味を持って見つめる
（　　　　　）（　　　） the butterfly
チョウチョをじっと見つめる

900 observe
観察する，守る
（　　　　　） stars
星を観察する

901 exhibit
展示する，表す
be （　　　　　） in Tokyo
東京で展示されている

902 glance
ちらりと見る，一べつ
（　　　　　）（　　　） the woman
その女性をちらりと見る

例文の日本語訳	例文を完成しましょう

888 このクラスは30人の生徒から成る.
This class (　　　　　　　　) (　　　　) 30 students.

889 私は兄と部屋を共有しています. I (　　　　　　　) a (　　　　　　) (　　　　　　　　) my brother.

890 彼は彼女の手を握った.
He (　　　　　　　) her (　　　) (　　　) (　　　　　　).

891 私たちの先生は眼鏡をかけている.
Our teacher (　　　　　　　) (　　　　　　　　).

892 彼に我々の計画を知らせなければならない.
We must (　　　　　　) him (　　　) our plans.

893 私が誰だかわかりますか.
Do you (　　　　　　　) me ?

894 私は自分の間違いに気づいた. I (　　　　　　) my (　　　　　　　).

895 このビールはたくさんのアルコールを含む.
This beer (　　　　　　) a lot of alcohol.

896 私はその声の主が誰かわからない.
I can't (　　　　　　) the (　　　　　　　).

897 警察は彼の鞄の中身を調べた. The police (　　　　　　) his (　　　　　　).

898 私のことをじろじろ見るな.
Don't (　　　　　) (　　　) (　　　　　　).

899 その少女はチョウチョをじっと見つめた.
The girl (　　　　　) (　　　) the butterfly.

900 昨夜は一晩中, 星を観察した. I (　　　　　) (　　　　　　　) all night last night.

901 私の絵は東京の美術館に展示されている.
My paintings (　　　) (　　　　　　　) in a museum in Tokyo.

902 彼はその女性をちらりと見た. He (　　　　　) (　　　　) the woman.

英語を書いて覚えましょう。そのあと，音声を聞いて音読しましょう。

単語を2回書きましょう	ミニマル・フレーズを完成しましょう

903　leave
向かう，後に残す
（　　　　　　　　　）Okayama for Tokyo
東京に向けて岡山を発つ

904　arrive
到着する
（　　　　　　　）（　　　　）the station
駅に着く

905　depart
出発する
（　　　　　　　）（　　　　　　）Tokyo for Osaka
東京から大阪へ出発する

906　bicycle
自転車
ride a （　　　　　　　　）
自転車に乗る

907　blow
吹く，鳴らす
（　　　　　　　）a horn
（自動車の）警笛を鳴らす

908　brief
短い
make a （　　　　　　　）stop at Kyoto
京都に短時間停車する

909　be due to ～
～の予定である
（　　　　　）（　　　　　）（　　　　　）
arrive today
本日到着の予定である

910　license
免許証
a driver's （　　　　　　　）
運転免許証

911　rate
速度，割合
at the （　　　　　　　）of ～
～の速度［割合］で

912　signal
信号
a traffic （　　　　　　　）
交通信号

913　similar
よく似た
a bicycle （　　　　　　　）（　　　　）
mine
私のとよく似た自転車

914　traffic
交通（量）
heavy （　　　　　　　）
多くの交通量

915　subway
地下鉄，地下道
take the （　　　　　　　）
地下鉄を利用する

例文の日本語訳	例文を完成しましょう
903 私たちは東京に向けて岡山を発つつもりだ.	We will （　　　　　　　　　） Okayama （　　　　　） Tokyo.
904 我々はやっと駅に着いた.	We finally （　　　　　　　）（　　　　　） the station.
905 その電車は東京から大阪に向けて出発する.	The train （　　　　　　　　）（　　　　　　　　） Tokyo （　　　　） Osaka.
906 弟は自転車に乗れない.	My brother cannot （　　　　　　　） a （　　　　　　　　　）.
907 そんなにしばしば警笛を鳴らしてはいけない.	Don't （　　　　　　　） your car （　　　　　　　　） so often.
908 まもなく京都に短時間停車します.	We will soon （　　　　　　） a （　　　　　　　）（　　　　　　　　） （　　　　） Kyoto.
909 フランス大統領が本日到着の予定である.	The President of France （　　　　）（　　　　）（　　　　　　） arrive today.
910 彼は昨年運転免許証をとった.	He got a （　　　　　　）（　　　　　　　） last year.
911 彼はいつも1時間に40マイルの速度で運転する.	He always drives （　　　　） the （　　　　　　　）（　　　　） 40 miles an hour.
912 次の信号を右に曲がりなさい.	Turn right at the next （　　　　　　　）（　　　　　　　　）.
913 彼は私のとよく似た自転車に乗っていた.	He was riding a （　　　　　　）（　　　　　　）（　　　　　　） mine.
914 道は交通量が多かった.	There was （　　　　　　　）（　　　　　　　　） in the street.
915 我々は地下鉄を利用した.	We （　　　　　　　　） the （　　　　　　　）.

📖 英語を書いて覚えましょう。そのあと，音声を聞いて音読しましょう。

単語を2回書きましょう	ミニマル・フレーズを完成しましょう

916 flight
飛行，便
an international (　　　　　)
国際便

917 abroad
外国へ
go (　　　　　)
外国へ行く

918 passenger
乗客
(　　　　　) fare
旅客運賃

919 cancel
取り消す
(　　　　　) a hotel reservation
ホテルの予約を取り消す

920 course
進路
change one's (　　　　　) to the east
進路を東に変える

921 either
どちらか一方の，どちらでも
(　　　　　) seat
どちらの座席も

922 famous
有名な
(　　　　　) (　　　) Mt. Fuji
富士山で有名な

923 guide
案内(書・人)，案内する
a (　　　　　) for tourists
観光客用の案内書

924 journey
旅
go on a (　　　　　) to Hokkaido
北海道へ旅に出かける

925 leisure
自由時間，暇
have no (　　　　　) to play tennis
テニスをする暇がない

926 luggage
旅行手荷物
four pieces of (　　　　　)
手荷物4個

927 tight
きつい
a (　　　　　) schedule
きついスケジュール

928 tourist
旅行者
a large party of (　　　　　)
大勢の団体旅行者

929 trip
旅行
a (　　　　　) to Paris
パリへの旅行

例文の日本語訳	例文を完成しましょう

916 彼女はサンフランシスコまでの国際便に乗った.　She took an (　　　) (　　　) to San Francisco.

917 私は将来外国へ行きたい.　I want to (　　　) (　　　) in the future.

918 旅客運賃は1,500円になります.　The (　　　) (　　　) will be 1,500 yen.

919 彼はホテルの予約を取り消した.　He (　　　) the hotel (　　　).

920 私たちの船は進路を東に変えた.　Our ship (　　　) her (　　　) (　　　) the east.

921 どちらの座席も座ってよろしい.　You may take (　　　) (　　　).

922 日本は富士山で有名である.　Japan is (　　　) (　　　) Mt. Fuji.

923 これは観光客用の案内書だ.　This is a (　　　) (　　　) (　　　).

924 両親は北海道へ旅に出かけた.　My parents (　　　) (　　　) a (　　　) (　　　) Hokkaido.

925 私はテニスをする暇がない.　I (　　　) (　　　) (　　　) (　　　) play tennis.

926 彼女は手荷物を4個持っていた.　She had four (　　　) (　　　) (　　　).

927 今日はきついスケジュールだ.　I have a (　　　) (　　　) today.

928 バスには大勢の団体旅行者がいた.　There was a (　　　) (　　　) (　　) (　　　) on the bus.

929 彼は去年パリへ旅行した.　He took a (　　　) (　　　) Paris last year.

英語を書いて覚えましょう。そのあと，音声を聞いて音読しましょう。

単語を２回書きましょう	ミニマル・フレーズを完成しましょう

930 **fat** 太った，脂肪 — grow (　　　) 太る

931 **asleep** 眠って(いる) — be fast (　　　) ぐっすり眠っている

932 **quiet** 静かな — keep (　　　) 静かにする

933 **basic** 基礎的な — (　　　) skills in first aid 応急手当の基礎技術

934 **terrible** 恐ろしい — a (　　　) sight 恐ろしい光景

935 **bill** 請求書，紙幣 — pay a medical (　　　) 医療費を払う

936 **tooth** 歯 — have a bad (　　　) 虫歯がある

937 **bitter** 苦い — taste (　　　) 苦い味がする

938 **blood** 血液 — (　　　) pressure 血圧

939 **brain** 頭脳 — use one's (　　　) 頭を使う

940 **breath** 呼吸 — be out of (　　　) 息切れして

941 **breathe** 呼吸する — can hardly (　　　) ほとんど呼吸できない

942 **cancer** がん — get (　　　) がんにかかる

943 **couple** 一対，夫婦，2〜3 — in a (　　　) of days 2〜3日で

例文の日本語訳	例文を完成しましょう

930 うちの犬は太った.

Our dog has (　　　　　　　　) (　　　　　　　　　　).

931 赤ん坊はぐっすり眠っている.

The baby (　　　　) (　　　　　　　) (　　　　　　　).

932 私が戻って来るまで静かにしていてください.

Please (　　　　　　　) (　　　　　　　　　) until I get back.

933 彼女は応急手当の基礎技術を学んだ.

She learned (　　　　　　) (　　　　　　　) (　　　　　　　) first aid.

934 交通事故を見た. 恐ろしい光景だった.

I saw a traffic accident. It was a (　　　　　　　) (　　　　　　).

935 彼は医療費を払わねばならない.

He must pay the (　　　　　　　) (　　　　　　　).

936 息子には虫歯がある.

My son (　　　　) a (　　　　) (　　　　　　　).

937 この薬は苦い味がする.

This medicine (　　　　　　　) (　　　　　　　).

938 看護師が私の血圧を計った.

The nurse took my (　　　　　　　) (　　　　　　).

939 頭を使いなさい.

(　　　　　　) your (　　　　　　).

940 彼女は私たちの方に走ってきた後, 息切れしていた.

She (　　　　) (　　　) (　　　) (　　　　　　　) after running toward us.

941 高い山の上では, 私たちはほとんど呼吸できない.

We (　　　) (　　　　　) (　　　　　　) on a high mountain.

942 兄はがんにかかった.

My brother (　　　　) (　　　　　　　).

943 彼女は2～3日で回復するだろう.

She will recover (　　　) (　　　) (　　　　　) (　　　　) days.

英語を書いて覚えましょう。そのあと，音声を聞いて音読しましょう。

単語を2回書きましょう	ミニマル・フレーズを完成しましょう

944 cure
を治す

（　　　　　　　　）a patient（　　　　）a disease
患者の病気を治す

945 disease
病気

die of a heart（　　　　　　　　）
心臓病で死ぬ

946 fever
熱

have a slight（　　　　　　　）
微熱がある

947 fit
ふさわしい，健康な

a book（　　　　）for children
子供にふさわしい本

948 headache
頭痛

a bad（　　　　　　　）
ひどい頭痛

949 health
健康

good for your（　　　　　　　　）
健康に良い

950 healthy
健康な

a（　　　　　　　）baby
健康な赤ん坊

951 hospital
病院

enter the（　　　　　　　）
入院する

952 illness
病気

have a serious（　　　　　　　）
重病です

953 institution
組織，機関

medical（　　　　　　　）
医療機関

954 loss
損失

a temporary（　　　　　　　）of memory
一時的記憶喪失

955 mechanism
仕組み，体系

the brain（　　　　　　　）
脳の仕組み

956 medicine
薬，医学

take（　　　　　　　）
薬を飲む

月　　　　　日

| | 例文の日本語訳 | 例文を完成しましょう |

944 その医者は患者のがんを治した． The doctor （　　　　　　） the patient （　　　） cancer.

945 彼女の母親は心臓病で亡くなった． Her mother （　　　　） （　　） a （　　　　） （　　　　　　）.

946 その子は微熱がある． The child （　　） a （　　　　） （　　　　　　）.

947 子供にふさわしい本を持っていませんか． Do you have a book （　　） （　　） children ?

948 私はひどい頭痛がする． I have a （　　　） （　　　　　）.

949 喫煙は健康に良くない． Smoking is not （　　　　　） （　　） your （　　　　　）.

950 健康な赤ん坊がベッドで寝ていた． A （　　　　　） （　　　　　　） was sleeping in the bed.

951 彼は先週入院した． He （　　　　　） the （　　　　　） last week.

952 ビルは重病です． Bill （　　） a （　　　　　） （　　　　　）.

953 発展途上国ではしばしば医療機関が不足している． Developing countries are often short of （　　　） （　　　　　）.

954 彼は一時的記憶喪失にかかっている． He is suffering from a temporary （　　　　　） （　　　） （　　　　　）.

955 彼は脳の仕組みを研究中だ． He is studying the （　　　　　） （　　　　　）.

956 父は寝る前に薬を飲む． My father （　　　　　） （　　　　　） before he goes to bed.

59

英語を書いて覚えましょう。そのあと，音声を聞いて音読しましょう。

単語を2回書きましょう	ミニマル・フレーズを完成しましょう

957 mental 精神の　　( ) abilities 精神力

958 operate 動く，手術をする　　( ) automatically 自動的に動く

959 operation 働き，手術，作戦　　an ( ) on my knee 私の膝の手術

960 organ 臓器，組織　　an ( ) transplant 臓器移植

961 ought to ～すべきである　　( ) ( ) see a doctor 医者に診てもらうべきだ

962 pain 苦痛　　have a ( ) in my back 背中[腰]が痛い

963 patient 我慢強い，患者　　be ( ) despite difficulties 逆境に耐える

964 poison 毒物　　take ( ) 毒を飲む

965 pretend ふりをする　　( ) to be ill 病気のふりをする

966 promote 増進する，昇進させる　　( ) good health 健康を増進する

967 recover 回復する　　( ) ( ) a bad cold ひどい風邪から回復する

968 heart 心臓，心　　thank you from my ( ) あなたに心からお礼を言う

969 sake 利益，目的，ため　　for the ( ) of one's health ～の健康のために

例文の日本語訳	例文を完成しましょう

957 彼女は年を取っているが精神力は依然強い.　She is old, but her (　　　　　) (　　　　　) are still strong.

958 このおもちゃは自動的に動く.　This toy (　　　　　) (　　　　　).

959 私は膝の手術を受けた.　I had an (　　　　　) (　　　) my (　　　　　).

960 その医者は臓器移植について語った.　The doctor talked about an (　　　　　) (　　　　　).

961 あなたは医者に診てもらうべきだ.　You (　　　　　) (　　　) see a doctor.

962 私は背中[腰]が痛い.　I have a (　　　　　) (　　　) my (　　　　　).

963 私たちは逆境に耐えることが期待されている.　We are expected to (　　　) (　　　　　) (　　　　) (　　　　　).

964 ソクラテスは毒を飲んで自殺した.　Socrates (　　　　　) (　　　　　) and killed himself.

965 彼は今日欠席だが, きっと病気のふりをしているだけだと私は思う.　He is absent today, but I'm sure that he is only (　　　　　) (　　　) (　　　) (　　　).

966 規則正しい運動は健康を増進する.　Regular exercise (　　　　　) (　　　　　) (　　　　　).

967 私はやっとひどい風邪から回復した.　I (　　　　) (　　　　　) a bad cold at last.

968 あなたに心からお礼を申し上げます.　I thank you (　　　　　) my (　　　　　).

969 健康のために私は散歩する.　I take walks (　　) (　　) (　　　　) (　　　) my health.

学習ノート Unit 1

英文校閲者
Edward M. Quackenbush

表紙デザイン
(株)ひでみ企画

2021 年 1 月 15 日　第 4 刷発行
2013 年 10 月 20 日　第 1 刷発行

著　者　　美 誠 社 編 集 部
発行者　　谷 垣 誠 也
印刷所　　共 同 印 刷 工 業 ㈱

発行所　　有限会社　美 誠 社

〒603-8113　京都市北区小山西元町37番地
Tel.(075)492-5660(代表)：Fax.(075)492-5674
ホームページ https://www.biseisha.co.jp